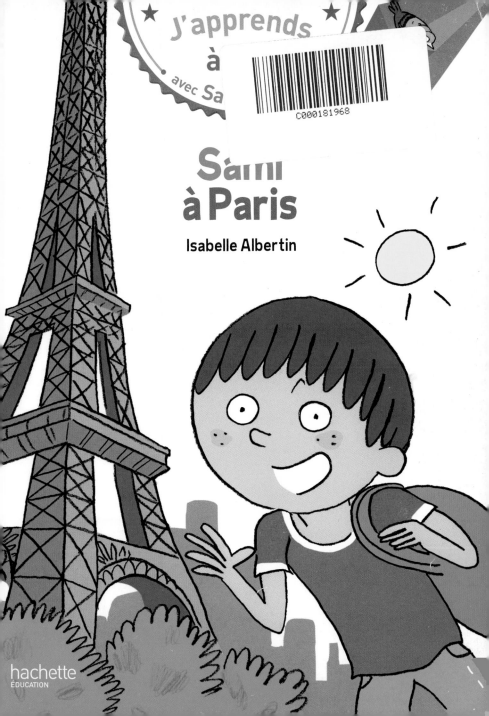

Avec Sami et Julie, lire est un plaisir !

Avant de lire l'histoire

- Parlez ensemble du titre et de l'illustration en couverture, afin de préparer la compréhension globale de l'histoire.
- Vous pouvez, dans un premier temps, lire l'histoire en entier à votre enfant, pour qu'ensuite il la lise seul.
- Si besoin, proposez les activités de préparation à la lecture aux pages 4 et 5. Elles permettront de déchiffrer les mots les plus difficiles.

Après avoir lu l'histoire

- Parlez ensemble de l'histoire en posant les questions de la page 30 : « As-tu bien compris l'histoire ? »
- Vous pouvez aussi parler ensemble de ses réactions, de son avis, en vous appuyant sur les questions de la page 31 : « Et toi, qu'en penses-tu ? »

Bonne lecture !

Maquette de couverture : Mélissa Chalot
Couverture : Sylvie Fécamp
Maquette intérieure : Mélissa Chalot
Mise en pages : Typo-Virgule
Illustrations : Thérèse Bonté
Édition : Laurence Lesbre
Relecture ortho-typo : Jean-Pierre Leblan

ISBN : 978-2-01-701566-6
© Hachette Livre 2018.

Les personnages de l'histoire

1 Montre le dessin quand tu entends le son (a) dans le mot.

2 Montre le dessin quand tu entends le son (i) dans le mot.

3 Lis ces syllabes.

| sa | mi | ri | pa | mé | tro | re |

| mu | tra | pe | ba | fi | ru | vé |

4 Lis ces mots-outils.

à	le	la	des	sur

un	au	et	une	il y a	du

5 Lis les mots de l'histoire.

métro

pavés

Paris

barbe
à papa

Notre-Dame

pyramide

Sami arrive à Paris.

Le métro remue.

Sami est ballotté.

La rue a des pavés.

L'hôtel est sur la butte.

Sami assiste à un défilé.

Sami filme Notre-Dame.

Vive le théâtre !

Sami est ravi.

Sami admire la parade
et dévore la barbe
à papa.

– Formidable ! dit-il.

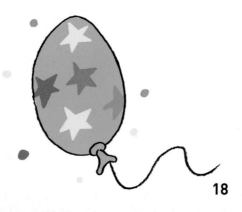

19

Paris est une belle ville.

La vue est admirable ;

Sami est épaté.

Sami est affamé.

– Papa ! dit Sami,

une bonne pâtisserie...

25

Il y a une multitude
de vélos !
– Il a réussi ! Bravo !
dit Sami.

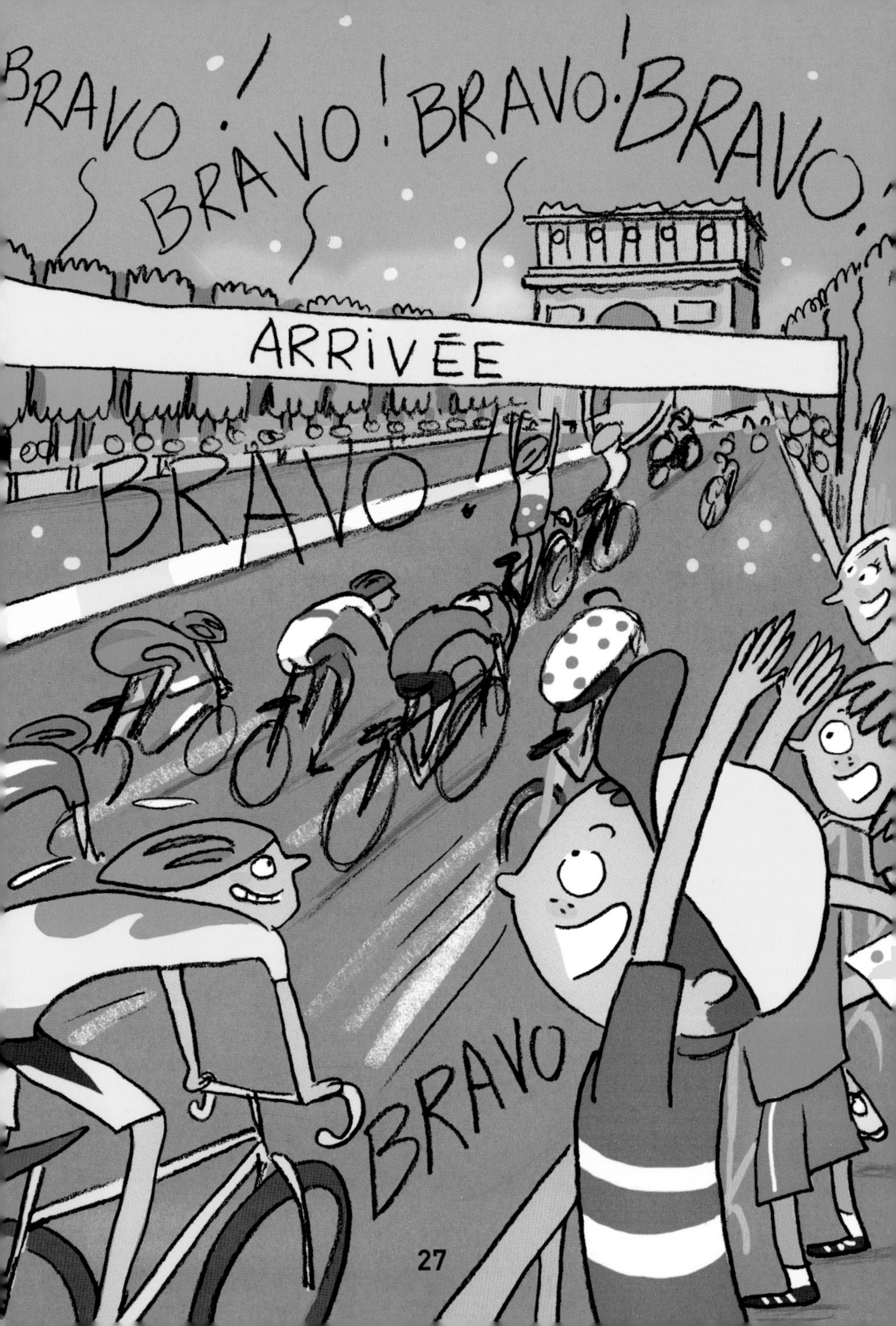
BRAVO !
BRAVO !
BRAVO !
BRAVO !
ARRIVÉE
BRAVO !
BRAVO

La pyramide s'illumine.

Elle luit la nuit.

Paris est sublime !

As-tu bien compris l'histoire ?

1 Comment Sami et sa famille se déplacent-ils dans Paris ?

2 Que regarde Sami le jour du 14 Juillet ?

3 Qu'est-ce que Sami a filmé depuis le téléphone portable ?

4 Connais-tu le goût du praliné ?

5 Quels monuments Sami a-t-il découverts ?

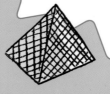

Et toi, qu'en penses-tu ?

Es-tu déjà allé(e) à Paris ?

Es-tu monté(e) en haut de la tour Eiffel ?

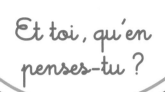

As-tu visité d'autres villes ?

As-tu déjà pris le métro ?

Aimes-tu les macarons ? et la barbe à papa ?

31

As-tu lu tous les Sami et Julie ?

Niveau 1
Début de CP

Tobi est malade · Le tipi de Sami · Miam Miam ! · Super Sami ! · Le CP de Sami · Vive Noël ! · La nuit
La dispute · La liste de Sami · Bonne fête Papa ! · Sami s'est perdu · La malle de Papi · Sami à Paris · Sami est malade

Niveau 2
Milieu de CP

Sami sous la pluie · Sami a des poux · L'amoureux de Julie · Sami et Julie attendent Noël · L'anniversaire de Julie · Il neige ! · Sami à la ferme
Sami et Julie cherchent les œufs · Sami et Julie en classe de découverte · La galette des rois · Le zoo · La fête des mères · Le carnaval de Sami et Julie · Sami fait de la magie

Niveau 3
Fin de CP

Le château · La dent de Julie · Les groseilles · Plouf ! · Le spectacle de Sami et Julie · Le mariage

Fous de Foot ! · Sami et Julie champions de ski · Sami et les pompiers

Niveau CE1

Sami rentre au CE1 · Sami et Julie fêtent Halloween · Le réveillon de Sami et Julie · Sami et Julie font des crêpes · Le match de foot de Sami et Julie · Vive les vacances ! · La nouvelle élève

Tom va avoir une petite sœur · Sami et Julie à Londres · Julie veut devenir vétérinaire · Le défi nature de Sami et Julie

hachette
ÉDUCATION